DAS KOMPLETTE KOCHBUCH FÜR BABYS UND KLEINKINDER

100 gesunde und einfache Rezepte der besten Pürees, Parmak yiyecekleri und Mahlzeiten für Kleinkinder für glückliche Familien

Lina Martin

INHALTSVERZEICHNIS

EINFÜHRUNG

Es ist ein aufregender erster Schritt, wenn Ihr Kleines beginnt, in die Welt der gehobenen Küche und der exotischen Geschmäcker einzutauchen. Eines Tages wird Ihr Freudenbündel nach der Schule Pizza mit Freunden, Krabbenbeine und Canapés in ihrem Lieblingsrestaurant und guten Wein mit der besseren Hälfte genießen. Aber zuerst müssen sie sich die Grundlagen der Babynahrung aneignen – und das gilt auch für Sie!

Die Umstellung Ihres Kindes von einer flüssigen Ernährung mit Muttermilch oder Säuglingsnahrung auf zunehmend festere Nahrung ist nicht immer so einfach, wie es sich anhört. Für viele Mütter ist das Füttern eines Babys eine der entmutigendsten und mühsamsten Aufgaben im ersten Jahr. Mit dieser leicht verständlichen Anleitung können Sie Ihrem Baby jedoch beibringen, selbstbewusst und geschickt zu essen. Mit dem richtigen Wissen minimieren Sie Kopfschmerzen und sorgen dafür, dass Ihr Baby seine Esskompetenz schnell, effizient und mit größtmöglichem Vergnügen entwickelt.

KÖRNER

1. Reisflocken

Zutaten
- $\frac{1}{4}$ Tasse Reispulver
- 1 Tasse Wasser

Richtungen
a) Bringen Sie das Wasser zum Kochen.
b) Unter Rühren das Reispulver hinzufügen.
c) Unter ständigem Rühren etwa 10 Minuten köcheln lassen.

2. Hafermehl Getreide

Zutaten

- $\frac{1}{4}$ Tasse gemahlener, stahlgeschnittener Hafer
- $\frac{3}{4}$ Tasse bis 1 Tasse Wasser

Richtungen

a) Bringen Sie das Wasser zum Kochen.

b) Unter Rühren die gemahlenen Haferflocken hinzufügen.

c) 1520 Minuten köcheln lassen, dabei häufig umrühren.

d) Tipp: Obwohl stahlgeschnittener Hafer länger zum Garen braucht, behält er mehr Nährstoffe als Instant- oder schnellgekochter Hafer.

3. Gerstengetreide

Zutaten
- $\frac{1}{4}$ Tasse gemahlene Gerste
- 1 Tasse Wasser

Richtungen
a) Wasser zum Kochen bringen.
b) Unter Rühren die Gerste hinzufügen.
c) Unter ständigem Rühren 10 Minuten köcheln lassen.

4. Fruchtiger Reisbrei

Zutaten

- $\frac{1}{2}$ Tasse Reismüsli
- $\frac{1}{2}$ Tasse Apfelmus
- $\frac{1}{4}$ Tasse weißer Traubensaft

Richtungen

a) In einem mittelgroßen Topf Reisbrei und weißen Traubensaft vermengen

b) Unter ständigem Rühren langsam erhitzen; nicht kochen lassen

c) Apfelmus unterrühren

5. Bananenreisschale

Zutaten

- ½ Tasse Reismüsli
- 1 reife Banane

Richtungen

a) Banane mit einer Gabel zerdrücken

b) Reismüsli zu Banane zerdrücken

c) Mischen, bis eine glatte, gleichmäßige Konsistenz erreicht ist

6. Leckerer herzhafter Reis

Portionen: 6-8

Zutaten

- 40g Zwiebel, gehackt
- 100g Basmatireis
- 450 ml kochendes Wasser
- 140g Butternusskürbis
- 50 g Hartkäse wie Cheddar oder Monterey Jack
- 23 gehackte Tomaten
- Pflanzenöl zum Kochen

Richtungen

a) Die Zwiebel in etwas Öl anbraten, bis sie weich ist. Basmatireis unterrühren und mit kochendem Wasser aufgießen. Abdecken und 8 Minuten köcheln lassen.

b) Den Kürbis untermischen, abdecken und bei schwacher Hitze noch etwa 12 Minuten kochen lassen, dabei rühren, bis das Wasser aufgesogen ist. Während das Ganze kocht, braten Sie die gehackten Tomaten zwei Minuten lang an, rühren den Käse unter und vermischen die beiden Mischungen vor dem Servieren grob mit einer Gabel.

7. Babybrei

Portionen: 2-3

Zutaten

- 1 Apfel, geschält und entkernt
- 1 Banane, geschält
- 6 Esslöffel Babymilch oder Kuhmilch
- 1 Esslöffel Haferflocken

Richtungen

a) Apfel und Banane in 4 Stücke schneiden. Anschließend den Apfel mit etwas kochendem Wasser in einen Topf geben und 5 Minuten pochieren, bis er weich ist. Abgießen und abkühlen lassen. Nach dem Abkühlen den Apfel und die Banane in einen Becher geben und mit dem Handmixer zu einer glatten Masse pürieren.

b) In der Zwischenzeit die Milch und die Haferflocken in einen Topf geben und leicht erhitzen, bis sie kocht und eindickt. Abkühlen lassen und dann mit dem Handmixer mit dem Apfel und der Banane vermischen.

8. Bircher Müsli

Portionen: 3-4

Zutaten

- 2 Esslöffel Haferflocken
- 3 Esslöffel vollfette Kuhmilch
- 3 Esslöffel Wasser
- 1 Esslöffel Joghurt
- 100g Trockenfrüchte
- 1 kleine Birne

Richtungen

a) Alle Zutaten außer der Birne vermischen, abdecken und über Nacht in den Kühlschrank stellen. Vor dem Servieren die Birne reiben und unter die Hafermischung rühren.

b) Im Sommer kalt servieren oder für ein warmes Winterfrühstück leicht erhitzen.

FRÜCHTE

9. Aprikosenpüree

Zutaten

- 1 Tasse gehackte Aprikosen
- 1 Tasse Apfelsaft, weißer Traubensaft oder Wasser

Richtungen

a) In einem kleinen bis mittelgroßen Topf Obst und Flüssigkeit zum Kochen bringen.

b) 810 Minuten köcheln lassen

c) Die Mischung in einen Mixer abseihen; Bewahren Sie die übrig gebliebene Flüssigkeit auf.

d) Verwenden Sie den Mixer, um die Mischung zu pürieren. Geben Sie die restliche Flüssigkeit hinzu, bis die gewünschte Konsistenz erreicht ist.

10. Apfelmus mit gemischten Früchten

Zutaten

- 1 Tasse geschälte Apfelstücke
- $\frac{1}{2}$ Tasse Obst Ihrer Wahl
- 1 $\frac{1}{2}$ Tassen Wasser

Richtungen

a) Obst und Wasser in einen mittelgroßen Topf geben.

b) Kochen, bis die Früchte weich sind.

c) Abgießen, dabei die restliche Flüssigkeit auffangen.

d) Fruchtmischung mit einer Gabel oder einem Kartoffelstampfer zerdrücken.

e) Geben Sie die Mischung in einen Mixer oder eine Küchenmaschine und pürieren Sie sie.

f) Restliche Flüssigkeit hinzufügen, bis die gewünschte Konsistenz erreicht ist.

11. Bananen-Avocado-Brei

Zutaten
- 1 reife Banane
- 1 reife Avocado

Richtungen
a) Banane schälen und in eine Schüssel geben.
b) Avocado schälen, entkernen und in Stücke schneiden. In die Schüssel geben.
c) Banane und Avocado mit einer Gabel zerdrücken, bis die gewünschte Konsistenz erreicht ist.

12. Mangowürfel

Zutaten

- 1 reife Mango

Richtungen

a) Mango schälen und den Kern entfernen
b) Schneiden Sie die Früchte in babygroße Stücke
c) Einfrieren

13. Pfirsich-Smoothie

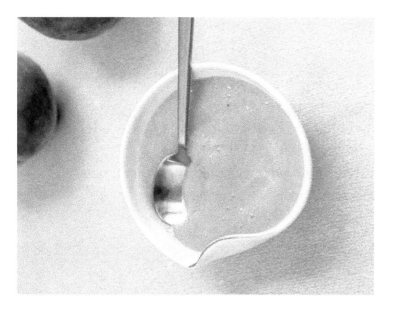

Zutaten
- 1 reifer Pfirsich
- 2 Esslöffel Muttermilch oder Milchnahrung

Richtungen
a) Den Pfirsich dämpfen, bis er weich ist
b) Haut und Kern entfernen
c) Nach dem Abkühlen die Früchte in einem Mixer oder einer Küchenmaschine pürieren
d) Fügen Sie Muttermilch oder Säuglingsnahrung hinzu, bis die gewünschte Konsistenz erreicht ist

14. Apfel- und Brombeer-Narr

Portionen: 3-4

Zutaten

- Ein Apfel (ca. 100 g), geschält, entkernt und gehackt
- 50g Brombeeren
- 150 g Vollfettjoghurt

Richtungen

a) Gehackte Äpfel zusammen mit den gewaschenen Brombeeren 5 Minuten kochen lassen. Mit etwas Wasser im Handmixer pürieren.

b) Abkühlen lassen und vor dem Servieren mit dem Joghurt vermischen.

15. Pflaumen- und Kirschkompott

Portionen: 1 bis 2 Teelöffel

Zutaten

- 250 ml Wasser
- 60 g getrocknete Aprikosen, gehackt
- 25 g hellbrauner Zucker
- 1/2 Teelöffel gehackte Zitronenschale
- eine Prise Zimt
- 60 g entkernte Pflaumen, halbiert
- 30g getrocknete Kirschen
- $\frac{1}{2}$ Teelöffel Vanilleessenz

Richtungen

a) In einer großen Pfanne mit starkem Boden das Wasser erhitzen und die Aprikosen, den braunen Zucker, die Zitronenschale und den Zimt bei starker Hitze zum Kochen bringen. Hitze reduzieren und ohne Deckel 5 Minuten köcheln lassen. Die Mischung in eine große Schüssel geben. Pflaumen, getrocknete Kirschen und Vanille unterrühren. Mit der Handmaschine mixen und

b) Bei Zimmertemperatur servieren.

16. Fruchtige Fleischpastete

Ergibt ca. 300 g

Zutaten
- 150g Hackfleisch,
- 50g Zwiebel, geviertelt
- 30g Sultaninen
- 1 Kochapfel geschält, entkernt und gewürfelt
- 1 Esslöffel Tomatenpüree
- 2 Esslöffel hausgemachte Rinderbrühe (oder eine andere Rinderbrühe ohne Salzzusatz).
- 100 g gekochte Kartoffelpüree
- 150 ml kochendes Wasser

Richtungen

a) Backofen auf 180°C vorheizen. Rindfleisch, Zwiebeln, Sultaninen und Äpfel in einer ofenfesten Form vermischen. Mit dem Handmixer das Tomatenpüree mit der Brühe vermischen und zur Rindfleischmischung geben.

b) Abdecken und 30 Minuten kochen lassen. Kartoffelpüree über die Fleischmischung geben.

GEMÜSE

17. Gemischtes Gemüse

Zutaten

- $\frac{1}{2}$ Tasse geschnittene Karotten
- $\frac{1}{2}$ Tasse gehackte Pastinaken, geschält
- $\frac{1}{2}$ Tasse gefrorene Erbsen

Richtungen

a) Karotten, Erbsen und Pastinaken dünsten, bis sie weich sind
b) Abfluss
c) In einem Mixer oder einer Küchenmaschine pürieren und zusätzliches Wasser hinzufügen, bis die gewünschte Konsistenz erreicht ist

18. Abendessen Gemüse

Zutaten

- $\frac{1}{2}$ Tasse gefrorene grüne Bohnen
- 1 geschälte, gewürfelte Kartoffel
- $\frac{1}{2}$ Tasse Zucchini
- $\frac{1}{4}$ Tasse gehackte Karotten

Richtungen

a) Geben Sie das gesamte Gemüse in einen mittelgroßen Topf. Bis zu $\frac{1}{2}$ Zoll über der Oberfläche des Gemüses mit Wasser bedecken.

b) Kochen, bis es weich ist

c) Mit einer Gabel zerdrücken oder in einem Mixer oder einer Küchenmaschine pürieren

19. Kürbismischung

Zutaten

- $\frac{1}{2}$ Tasse gehackte Zucchini
- $\frac{1}{2}$ Tasse gehackter Sommerkürbis
- $\frac{1}{2}$ Tasse geschälte, gehackte Süßkartoffel
- 1 Esslöffel gehackte Zwiebel

Richtungen

a) Gemüse in einen mittelgroßen Topf geben; Mit Wasser bedecken
   $\frac{1}{2}$ Zoll über dem Gemüse

b) Köcheln lassen, bis es weich ist

c) Zerstampfen oder pürieren, bis die Mischung die gewünschte Konsistenz erreicht

20. Beeren-Süßkartoffeln

Zutaten

- 1 Süßkartoffel, geschält und gewürfelt
- $\frac{1}{2}$ Tasse gefrorene gemischte Beeren, aufgetaut

Richtungen

a) Die Süßkartoffelwürfel dämpfen, bis sie weich sind

b) Abgießen, in die Küchenmaschine oder den Mixer geben

c) Aufgetaute Beeren hinzufügen

d) Bis zur gewünschten Konsistenz pürieren

21. Blumenkohlbrei

Zutaten

- 1 Tasse gehackter Blumenkohl
- 1 Tasse gefrorene Erbsen
- 1 Tasse gebackenes Butternusskürbisfleisch

Richtungen

a) Gefrorene Erbsen und gehackten Blumenkohl dämpfen, bis sie weich sind

b) Erbsen, Blumenkohl und Kürbis in eine Küchenmaschine oder einen Mixer geben

c) Bis zur gewünschten Konsistenz pürieren

22. Zucchini Pasta

Portionen: 2-3

Zutaten

- 50 g gekochte kleine Nudelformen
- 1 mittelgroße Zucchini, in Scheiben geschnitten
- 1 Teelöffel Schnittlauch
- Spritzer Pflanzen- oder Olivenöl
- 25g geriebener Käse

Richtungen

a) Die Zucchini ca. 3 Minuten dünsten (bis sie weich sind). Etwas Öl hinzufügen und mit dem Handmixer zu einer dickflüssigen Masse mixen, dann den Schnittlauch unterrühren.

b) Gießen Sie die Zucchini über die warmen Nudeln. Nach Belieben noch etwas geriebenen Käse hinzufügen.

23. Tomaten und Kartoffeln mit Oregano

Portionen: 6

Zutaten

- 125 g Kartoffeln, geschält und gehackt
- 100g Blumenkohl in kleinen Röschen
- 30g Butter
- 200 g Tomaten aus der Dose
- Prise Oregano
- 35 g geriebener doppelter Gloucester-Käse

Richtungen

a) Legen Sie die Kartoffel in einen Topf mit kochendem Wasser, reduzieren Sie die Hitze und lassen Sie sie 7 Minuten köcheln. Geben Sie dann die Blumenkohlröschen hinzu und lassen Sie sie köcheln, bis das gesamte Gemüse weich ist. Abgießen, dann die Tomaten und die anderen Zutaten hinzufügen.

b) Mit dem Handmixer zu einer strukturierten Konsistenz mixen.

24. Rahmgemüse

Portionen: 2-3

Zutaten

- 1 kleine Karotte geschält und gehackt
- 1 kleine Zucchini gehackt
- 2 Brokkoliröschen
- 2 Esslöffel Vollmilch
- 1 Esslöffel Babyreis

Richtungen

a) Dämpfen Sie das Gemüse, bis es gerade weich ist. Dies dauert 6 Minuten. In der Zwischenzeit die Milch erhitzen und den Babyreis nach Herstellerangaben zubereiten. Das Gemüse abgießen und etwas abkühlen lassen.

b) Geben Sie nun das Gemüse in einen Becher, fügen Sie dann Babyreis hinzu und pürieren Sie es mit Ihrem Handmixer zu einer glatten Konsistenz.

25. Bananenrisotto

Portionen: 10

Zutaten

- 225g Risottoreis
- 50g Margarine
- 50g Zwiebel, geviertelt und gehackt
- 30g Mehl
- 550 ml Milch
- 30g Parmesankäse
- 450g nicht zu reife Bananen

Richtungen

a) Den Reis in kochendem Wasser köcheln lassen, bis er weich ist (ca. 15 Minuten). In der Zwischenzeit die Zwiebel hacken und in etwas Margarine sanft anbraten, bis sie weich ist. Gekochte Zwiebeln unter den gekochten Reis rühren.

b) In einer separaten Pfanne die restliche Margarine schmelzen und das Mehl einrühren. Unter ständigem Rühren langsam die Milch hinzufügen.

c) Aufkochen und 1 Minute köcheln lassen. Den Käse hinzufügen und rühren, bis er geschmolzen ist. Die Bananen schälen, in Scheiben schneiden und mit der Reismischung vermischen.

d) Alle Zutaten kurz mit dem Handmixer vermischen.

26. Käse-Zucchini-Risotto

Portionen: 3-4

Zutaten

- 2 Esslöffel Olivenöl
- 50g Risottoreis
- 100 ml heißes Wasser oder ungesalzene Gemüsebrühe
- 80 g Zucchini, in Stücke geschnitten
- 20g Hartkäse fein gehackt

Richtungen

a) Geben Sie den Reis in eine Pfanne zum Öl und rühren Sie um, bis die Körner bedeckt sind. Den Reis mit heißem Wasser bedecken, umrühren und 12 Minuten köcheln lassen, bei Bedarf mehr Wasser/Brühe hinzufügen. Als nächstes die Zucchini hinzufügen und gut umrühren.

b) Weitere 5 Minuten kochen lassen. Wenn der Reis sehr weich ist, den Käse hinzufügen und umrühren. Mit der Handmaschine pürieren.

27. Baby-Ratatouille

Portionen: 4

Zutaten

- 1 Teelöffel Olivenöl
- 40g Zwiebel, geviertelt und fein gehackt
- 40g Zucchini, gewürfelt
- 1 kleine rote Paprika, entkernt und gewürfelt
- 4 Tomaten, gehäutet und entkernt (oder eine halbe Dose gehackte Tomaten)

Richtungen

a) Erhitzen Sie das Öl in einer Pfanne und braten Sie die Zwiebel an, bis sie weich ist. Geben Sie dann das andere Gemüse hinzu. Einmal umrühren, dann abdecken und die Hitze reduzieren.

b) Kochen lassen, bis das Gemüse weich ist. Etwas abkühlen lassen und dann mit dem Handmixer in der Pfanne pürieren. Mit Kartoffelpüree servieren.

28. Babygulasch

Portionen: 3-4

Zutaten

1. 50g Hackfleisch
2. 68 Pilze, gehackt
3. 150 ml Frischkäse
4. 1 Esslöffel Ketchup

Richtungen

a) Hackfleisch in einer großen Pfanne anbraten und überschüssiges Fett abgießen. Mischen Sie alle anderen Zutaten in derselben Pfanne und rühren Sie dabei um.
b) 15 Minuten köcheln lassen und dann abkühlen lassen. In der Pfanne mit dem Handmixer pürieren.
c) Mit dickem Kartoffelpüree servieren.

29. Blumenkohl-Käse

Portionen: 3-4

Zutaten

- 200g Blumenkohl, gewaschen
- 20g Butter
- 2 Teelöffel einfaches Mehl
- 200 ml Milch
- 40 g geriebener mittelharter Käse wie Cheddar, Greyerzer oder Gouda

Richtungen

a) Blumenkohl in kleine Röschen teilen und 10–12 Minuten dünsten. Bereiten Sie in der Zwischenzeit die Soße zu, indem Sie die Butter in einer kleinen Pfanne schmelzen, Mehl einrühren, bis eine glatte Paste entsteht, Milch hinzufügen und rühren, bis die Masse eingedickt ist. Die Pfanne vom Herd nehmen und den geriebenen Käse unterrühren.

b) Blumenkohl hinzufügen und mit dem Handmixer in die Pfanne pürieren.

30. Karotten-, Blumenkohl-, Spinat- und Käsepüree

Portionen: 2-3

Zutaten

- 1 große Karotte, geschält und in große Stücke geschnitten
- 50 g Blumenkohl (in kleine Stücke geschnitten)
- 1/3 Dose gehackte Tomaten
- 30 g geriebener Hartkäse wie Parmesan
- 50g Babyspinatblätter

Richtungen

a) Karotte und Blumenkohl dünsten, bis sie weich sind. Zum Abkühlen zur Seite stellen. In der Zwischenzeit die Tomaten aus der Dose in einer anderen Pfanne erhitzen und, sobald sie vollständig erhitzt sind, den Käse unterrühren.

b) Sobald der Käse geschmolzen ist, den Spinat hinzufügen und unter Rühren kochen, bis er zusammenfällt.

31. Käse- und Gemüsebrei

Portionen: 68 | Ergibt ca. 450g | Kochzeit: 20 Minuten

Zutaten

- 250 g Kartoffeln, geschält und in kleine Würfel geschnitten
- 50 g Süßkartoffel, geschält und gehackt
- 25 g ungesalzene Butter
- ½ kleiner Lauch, fein gehackt
- 1 Esslöffel Mehl
- 100 ml Milch
- 50g geriebener Käse

Richtungen

a) Die Kartoffeln und Süßkartoffeln in einer Pfanne mit kochendem Wasser bedecken und weich köcheln lassen (ca. 10–15 Minuten). Nehmen Sie die Hälfte der Kartoffeln heraus und legen Sie sie beiseite. Pürieren Sie dann die restlichen Kartoffeln und das Kochwasser in der Pfanne mit Ihrem Handmixer.

b) Die Butter in einem Topf schmelzen und den Lauch darin anbraten, bis er weich ist.

c) Mehl einrühren, dann langsam und unter ständigem Rühren die Milch dazugeben. Das pürierte Gemüse, die gekochten Kartoffelwürfel und alles unterrühren

d) Den Käse in die Sauce geben und servieren, wenn er kühl genug zum Essen ist.

32. Kartoffel-Avocado-Salat

Portionen: 5-6

Zutaten

- 1 große Kartoffel, geschält und in kleine Würfel geschnitten
- 1 Avocado, geschält und entkernt
- 1 Esslöffel griechischer Joghurt

Richtungen

a) Kochen Sie die Kartoffeln, bis sie weich sind (ca. 10 – 15 Minuten). Die Avocado mit dem Handmixer pürieren und den Joghurt unterrühren. Die gekochte Kartoffel noch warm zur Avocado und zum Joghurt geben.

b) Warm servieren oder im Kühlschrank aufbewahren und gekühlt servieren.

33. Apfel-Couscous

Portionen: 4

Zutaten

- 100 g Couscous 5 Minuten in warmem Apfelsaft einweichen
- 2 Esslöffel Naturjoghurt
- 50g gekochter Apfel

Richtungen

A) Mischen Geben Sie alle Zutaten zusammen in den Becher und mixen Sie sie 5 – 10 Sekunden lang mit Ihrem Handmixer.

34. Butternut-Nudelformen

Portionen: 4

Zutaten
- 100 g kleine Nudelformen
- 100 g gekochter Butternusskürbis
- ungesüßter Apfelsaft

Richtungen
a) Die Nudeln 10 – 15 Minuten kochen. Während die Nudeln kochen, den Kürbis mit etwas Apfelsaft zu einer Sauce verrühren.

b) Die Soße erwärmen und zum Servieren über die gekochten Nudeln gießen.

35. Winterfruchtsalat

Portionen: 8

Zutaten

- 500g Trockenfrüchte (Pflaumen, Birnen, Aprikosen, Feigen)
- 600 ml Wasser
- 2 Tropfen Vanilleessenz
- 1 Esslöffel frischer Zitronensaft
- Joghurt zum Servieren

Richtungen

a) Geben Sie die Früchte und das Wasser in einen großen Topf. Vanilleessenz hinzufügen. Zum Kochen bringen, dann gut umrühren, die Hitze reduzieren und 10 Minuten köcheln lassen, bis ein Sirup entsteht. Nehmen Sie die Pfanne vom Herd, gießen Sie die Früchte und die Flüssigkeit nach dem leichten Abkühlen in eine Schüssel und drücken Sie etwas Zitronensaft hinein. Mit dem Handmixer vorsichtig pürieren. Kann serviert werden

b) warm oder gekühlt, mit einem Klecks Joghurt darüber.

c) Andere Familienmitglieder werden diesen wärmenden Winterfruchtsalat lieben. Vielleicht möchten Sie es mit etwas Honig oder braunem Zucker etwas süßen und den Pürierschritt weglassen.

36. Pasta mit käsiger Tomatensauce

Portionen: 2

Zutaten

- 1 Teelöffel Olivenöl
- 50g Zwiebel, geviertelt und fein gehackt
- 80g Karotte, geschält, in Stücke geschnitten und fein gehackt
- 1 Lorbeerblatt
- 150g gehackte Tomaten
- 2 Teelöffel geriebener Cheddar oder Parmesan
- 1 Esslöffel kleine Nudelformen

Richtungen

a) Das Öl in einer kleinen Pfanne erhitzen. Zwiebel und Karotte leicht anbraten, bis sie weich sind, dann die Hälfte der Mischung beiseite stellen. Zum Rest das Lorbeerblatt und die gehackten Tomaten hinzufügen.

b) Abdecken und 10 Minuten köcheln lassen, dabei gelegentlich umrühren. Vom Herd nehmen, Käse hinzufügen und umrühren. Die Nudeln kochen und abtropfen lassen.

c) Lorbeerblatt aus der Soße entfernen und mit dem Handmixer pürieren. Die abgetropften Nudeln und das zuvor beiseite gelegte Gemüse dazugeben, vermischen und servieren.

37. Soja-, Zucchini- und Tomatennudeln

Portionen: 3

Zutaten

- 1 Teelöffel Pflanzenöl
- 40g Zwiebel, geviertelt und fein gehackt
- 40 g Zucchini in Stücke schneiden
- 50g Sojahackfleisch
- 200 g gehackte Tomaten aus der Dose
- 1 Esslöffel frischer ungesüßter Apfelsaft
- frische Basilikumblätter, gehackt
- 35g getrocknete Nudeln

Richtungen

a) Geben Sie das Pflanzenöl bei mäßiger Hitze in eine Pfanne, fügen Sie die Zwiebel hinzu und kochen Sie, bis sie weich ist. Die Zucchini dazugeben und weich kochen. Das Sojahack dazugeben und weiterkochen, bis es kochend heiß und gleichmäßig gebräunt ist. Die Tomaten dazugeben und 5 Minuten köcheln lassen. Den Apfelsaft und das frische Basilikum dazugeben und weitere 5 Minuten kochen, bis die Sauce eindickt.

b) In der Zwischenzeit die Nudeln kochen. Wenn die Soße fertig ist, lassen Sie sie stehen, bis sie leicht abgekühlt ist, und mixen Sie sie dann in der Pfanne mit Ihrem Handmixer zu einer glatten Tomatensoße.

c) Die gekochten Nudeln dazugeben und zu einer leicht verdaulichen Konsistenz mixen.

38. Zucchinipastete

Portionen: 4

Zutaten

- 2 mittelgroße Zucchini, in Stücke geschnitten
- 75g Frischkäse
- Eine kleine Prise Paprika
- Eine kleine Prise frischer Dill

Richtungen

a) Die Zucchini dünsten, bis sie weich sind (6-8 Minuten), dann in einem Becherglas mit dem Handmixer pürieren und abkühlen lassen.

b) Den Frischkäse untermischen, Kräuter hinzufügen und servieren. Mit Toaststücken servieren.

39. Zuckermaisrisotto

Portionen: 4

Zutaten

- 1 mittelgroße Zwiebel, gehackt
- eine Handvoll gefrorener Zuckermais
- 125g Reis
- 50 g Stück Parmesankäse gehackt und dann gerieben
- fein
- 500 ml salzfreie Gemüse- oder Hühnerbrühe
- 1 Esslöffel Pflanzenöl

Richtungen

a) Die Zwiebel in Öl anschwitzen, den Reis dazugeben und 2 Minuten erhitzen, bis der Reis gut mit Öl bedeckt ist.

b) Unter regelmäßigem Rühren 15 Minuten lang langsam Brühe zugießen, bis der Reis weich und klebrig wird. Nach 7 Minuten den Zuckermais hinzufügen.

c) Wenn Reis und Mais gut gekocht sind, den Parmesan dazugeben und gründlich verrühren.

40. Joghurt- und Hüttenkäsenudeln

Portionen: 4

Zutaten

- 120g Nudeln
- 100 ml Naturjoghurt
- 100g Hüttenkäse
- 60 g Frühlingszwiebeln, gehackt
- 1/2 Knoblauchzehe, gehackt
- 2 Teelöffel frischer Oregano, gehackt
- 1 Esslöffel Butter

Richtungen

a) Kochen Sie die Nudeln gemäß den Anweisungen des Herstellers

   dann abtropfen lassen und beiseite stellen.

b) Als nächstes vermischen Sie die anderen Zutaten außer der Butter und dem Püree mit der Handmaschine. Die Mischung leicht erhitzen, dann die Butter unter die Nudeln rühren, die Nudeln mit der Joghurtmischung vermengen und servieren.

41. Nudeln mit Zucchini

Portionen: 6

Zutaten

- eine Handvoll Pinienkerne
- 250g gefüllte Tortellini
- 50g Butter
- 160g Zucchini in Stücke schneiden
- 1 Knoblauchzehe, gehackt
- Spritzer Zitrone
- 23 Basilikumblätter

Richtungen

a) Pinienkerne in einer trockenen Bratpfanne bei schwacher Hitze leicht rösten, bis sie eine hellbraune Farbe haben – Vorsicht, sie verbrennen leicht! Anschließend die Pinienkerne mit einem Stößel und Mörser fein zerstoßen.

b) Die Tortellini gemäß den Anweisungen des Herstellers kochen und dann abtropfen lassen. Zucchini und Knoblauch in Butter etwa 2 Minuten anbraten, bis sie weich genug sind, damit Ihr Baby sie essen kann, dann einen Spritzer Zitrone hinzufügen. Die gekochten Tortellini dazugeben und gut vermischen.

FLEISCHFISCH

42. Einfaches Rindfleischpüree

Zutaten

- 1 Tasse gewürfeltes, gekochtes Rindfleisch
- $\frac{1}{2}$ Tasse Wasser

Richtungen

a) Geben Sie das Rindfleisch in eine Küchenmaschine oder einen Mixer und bereiten Sie ein feines Püree zu
b) Weiter pürieren, bis die gewünschte Konsistenz erreicht ist

43. Einfaches Hühnerpüree

Zutaten

- 1 Tasse gewürfelte gekochte Hähnchenbrust
- ½ Tasse natriumarme Hühnerbrühe

Richtungen

a) Geben Sie das Rindfleisch in eine Küchenmaschine oder einen Mixer und bereiten Sie ein feines Püree zu

b) Weiter pürieren und Brühe hinzufügen, bis die gewünschte Konsistenz erreicht ist

44. Einfaches Fischpüree

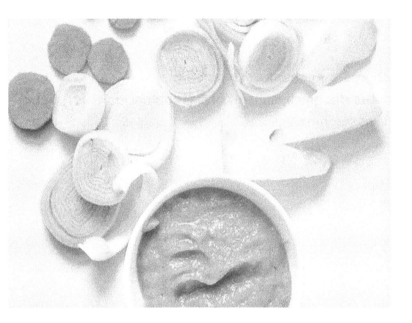

Zutaten

- 1 Tasse gekochter Weißfisch ohne Knochen
- $\frac{1}{4}$ Tasse Wasser

Richtungen

a) Den Fisch in die Küchenmaschine oder den Mixer geben
b) Pürieren, bis die gewünschte Konsistenz erreicht ist, bei Bedarf Wasser hinzufügen

45. Baby-Omelett

Zutaten
- 1 Eigelb
- $\frac{1}{4}$ Tasse Milch
- $\frac{1}{4}$ Tasse geriebener Cheddar-Käse
- $\frac{1}{4}$ Tasse pürierte Karotten

Richtungen
a) Zutaten in einer Schüssel vermengen
b) Gut umrühren
c) In die Pfanne geben
d) Rühren, bis es nicht mehr flüssig ist

46. Cremiger Hähnchenauflauf

Zutaten

- 1 gehackte Hähnchenbrust
- 1 geschälte und gehackte Kartoffel
- $\frac{1}{2}$ Tasse gehackte Karotten
- $\frac{1}{2}$ Tasse gehackter Sommerkürbis
- $\frac{1}{2}$ Tasse Joghurt

Richtungen

a) Hühnchen, Gemüse und Gewürze in einem Topf vermengen

b) Mit Wasser bedecken und zum Kochen bringen.

c) Reduzieren Sie die Hitze, decken Sie das Ganze ab und lassen Sie es 3045 Minuten lang köcheln, bis das Hähnchen vollständig gegart und das Gemüse weich ist

d) Abkühlen lassen

e) Geben Sie Hühnchen und Gemüse in die Küchenmaschine oder den Mixer und pürieren Sie es bis zur gewünschten Konsistenz. Fügen Sie nach Bedarf die restliche Flüssigkeit hinzu

f) Joghurt hinzufügen und weiter pürieren, bis die gewünschte Konsistenz erreicht ist

47. Fischabendessen

Portionen: 2

Zutaten

- 25g gekochter Weißfisch (Filet)
- 1 Esslöffel gekochte Karotten
- 1 Esslöffel Salzkartoffel
- 1 Esslöffel Milch
- kleines Stück Butter

Richtungen

a) Karotten und Kartoffeln würfeln und in einen Topf mit kochendem Wasser geben. Abdecken und köcheln lassen. Nach 7 Minuten den Fisch in etwas Milch oder Wasser pochieren, bis er gar ist.

b) Alle Zutaten vom Herd nehmen, abtropfen lassen und abkühlen lassen. Alle Zutaten in die Pfanne geben und mit dem Handmixer pürieren.

48. Leberessen

Portionen: 4-5

Zutaten

- 25g Lammleber
- 1 Esslöffel gekochter Spinat oder Kohl
- 1 Esslöffel Salzkartoffel
- 3 Esslöffel Brühe

Richtungen

a) In etwas Öl etwa 10 Minuten braten, oder bis alles gar ist. In der Zwischenzeit die Kartoffeln in einen Topf mit kochendem Wasser geben und etwa 7 Minuten kochen lassen. Den Kohl hinzufügen und weitere 6 Minuten kochen lassen.

b) Lassen Sie das Gemüse abtropfen, geben Sie dann alle Zutaten in eine Schüssel und pürieren Sie sie mit dem Handmixer, bis eine glatte Masse entsteht. Fügen Sie je nach Bedarf Soße oder Brühe hinzu, um die Mischung weicher zu machen.

49. Einfache Hühnchen-Bananen-Mahlzeit

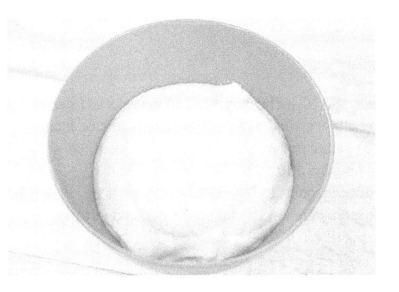

Portionen: 6

Zutaten

- 1 Hähnchenbrust ohne Knochen und Haut (ca. 100 g)
- 1 kleine, reife Banane
- 100 ml Kokosmilch

Richtungen

a) Backofen auf 180 °C vorheizen. Die Hähnchenbrust der Länge nach halbieren und mit Banane füllen. In eine kleine Auflaufform geben und mit Kokosmilch bedecken.

b) 40 Minuten lang bei 180 °C backen oder bis das Hähnchen durchgegart ist.

c) Abkühlen lassen, dann in Stücke schneiden und mit dem Handmixer pürieren.

50. Lamm mit Graupen

Portionen: 3-4

Zutaten

- 60 g mageres Lammhackfleisch
- 50g Graupen
- 1 EL. Tomatenpüree
- ½ Knoblauchzehe
- 40g Zwiebel, geviertelt
- 80 g Karotte, in Stücke geschnitten

Richtungen

a) Erhitzen Sie das Öl in einer Pfanne, geben Sie dann das gehackte Gemüse hinzu und braten Sie es 5 Minuten lang an, bevor Sie das gehackte Lammfleisch hinzufügen. Weitere 5 Minuten braten, bis das Lammfleisch gebräunt ist, dann Graupen und Tomatenpüree hinzufügen. Mit Wasser bedecken, umrühren und 45 Minuten köcheln lassen, dabei gelegentlich umrühren.

b) Nach dem Garen etwas abkühlen lassen und dann mit dem Handmixer bis zur gewünschten Konsistenz pürieren.

51. Abrikosen Huhn

Portionen: 2-3

Zutaten

- 1 kleine Hähnchenbrust, gewürfelt (ca. 70g)
- 4 getrocknete Aprikosen
- 1 Schalotte
- 1/2 Zimtstange

Richtungen

a) Schalotte hacken. Zusammen mit den Aprikosen und den Hähnchenwürfeln in einem Schuss Olivenöl anbraten. Mit Wasser bedecken und Zimtstange hinzufügen. 20 Minuten leicht köcheln lassen, bis die Aprikosen weich und die Soße sirupartig ist. Zimt wegwerfen.

b) In der Pfanne mit dem Handmixer mixen, bis eine zähe Konsistenz entsteht.

c) Mit Kartoffelpüree servieren.

52. Herzhafter Hähnchenauflauf

Portionen: 4-6

Zutaten

- 1 kleine Zwiebel
- 1 Hähnchenbrust, gehäutet und gewürfelt (ca. 100 g)
- 1 Esslöffel Olivenöl
- 1 Karotte, geschält und gewürfelt
- 1 Lorbeerblatt
- 2 Champignons, abgewischt und in dünne Scheiben geschnitten
- 140 ml Wasser
- 50 g gefrorene Petites Pois, aufgetaut

Richtungen

a) Die Zwiebel hacken und dann vorsichtig mit dem Hähnchen anbraten, bis das Hähnchen von allen Seiten gebraten ist. Gemüse, Lorbeerblatt und Wasser hinzufügen. Abdecken und 1520 Minuten leicht köcheln lassen, bevor die Erbsen hinzugefügt werden. Weitere 5 Minuten kochen, bis die Erbsen durchgewärmt sind.

b) Entfernen Sie das Lorbeerblatt und mixen Sie es mit dem Handmixer zu einer für Ihr Baby geeigneten Konsistenz. Mit pürierten Kartoffeln oder Nudelstücken servieren.

53. Thunfisch-Dip

Portionen: 6

Zutaten

- 30 g Frischkäse pur
- 100 g Thunfisch aus der Dose in Sonnenblumenöl
- 2 getrocknete Tomaten
- 20 g dicke Crème fraîche
-

Richtungen

a) Den Thunfisch abtropfen lassen und mit dem Frischkäse und den gehackten getrockneten Tomaten mit dem Handmixer vermischen.

b) Ergänzen Sie dieCrème fraîche aufgießen und vor dem Servieren eine Stunde kühl stellen.

c) Mit Toaststücken oder Reiskuchen servieren.

54. Hühner- und Birnenpüree

Portionen: 3-4

Zutaten

- 1 Hähnchenbrust ohne Haut, gewürfelt
- 1 Birne, entkernt und gewürfelt
- 1 mittelgroße Süßkartoffel, geschält und gewürfelt
- 120g Zucchini, fein gehackt
- 500 ml salzarme Gemüse- oder Hühnerbrühe

Richtungen

a) Die Brühe in einen großen Topf geben und zum Kochen bringen. Das Hähnchen dazugeben, die Hitze reduzieren und 10 Minuten köcheln lassen. Süßkartoffel und Birne dazugeben und weitere 10 Minuten köcheln lassen.

b) Die Zucchini dazugeben und weitere 5 Minuten kochen, bis alle Zutaten gar und zart sind. In der Pfanne mit dem Handmixer pürieren.

55. Hühnchen-Butternusskürbis-Püree

Portionen: 6-8

Zutaten

- 200 g gekochter Butternusskürbis
- 100 g gekochtes Hähnchen
- 125 g gekochter brauner Reis

Richtungen

a) Geben Sie alle Zutaten in einen Becher mit etwas Wasser oder der normalen Milch Ihres Babys und pürieren Sie es mit der Handmaschine zu einer cremigen Konsistenz, die zu Ihrem Baby passt

56. Huhn mit Mais und Birne

Portionen: 4-6

Zutaten

- 100g Huhn
- 50 g Zwiebel, geviertelt und dann gehackt
- 1 Esslöffel Olivenöl
- 50g Zuckermais
- 1 mittelgroße Kartoffel, geschält und gehackt
- $\frac{1}{2}$ kleine Birne, geschält, entkernt und gehackt
- 225 ml salzarme Hühner- oder Gemüsebrühe

Richtungen

a) Das Hähnchen waschen, dann in Scheiben schneiden. Die Zwiebel leicht anbraten, bis sie weich ist, dann das Hähnchen dazugeben und 10 Minuten anbraten, bis es gar ist.

b) Gemüse und Kartoffeln dazugeben, mit der Brühe aufgießen und 15 – 20 Minuten leicht köcheln lassen. Zum Schluss mit dem Handmixer in der Pfanne mixen.

57. Rindereintopf mit Karottenpüree

Portionen: 8-10

Zutaten

- 250 g Rinderschmorsteak, gewürfelt
- 2 Teelöffel Olivenöl
- 1 Schalotte, gehackt
- 1 Karotte geschält und in 5 cm große Stücke geschnitten
- 2 mittelgroße Kartoffeln, geschält und gewürfelt
- 250 ml Wasser

Richtungen

a) Erhitzen Sie das Öl in einer Pfanne bei mittlerer Hitze, geben Sie dann das Rindfleisch hinzu und braten Sie es 2 bis 3 Minuten lang an, bis es rundherum braun ist. Gemüse, Kartoffeln und Wasser dazugeben, umrühren und aufkochen. Dann die Hitze reduzieren, abdecken und etwa eine Stunde lang sanft köcheln lassen, bis das Rindfleisch und das Gemüse zart sind. In der Pfanne mit dem Handmixer pürieren, bis das Ergebnis erreicht ist

b) gewünschte Textur für Ihr Baby.

c) Für einen leckeren Eintopf für die ganze Familie lassen Sie den Pürierschritt einfach weg und servieren Sie ihn Ihrer Familie mit einer Ofenkartoffel oder frischen Brotstücken.

58. Brathähnchen-Gemüse-Eintopf

Portionen: 6-8

Zutaten

- 150 g kleine Stücke hautloses Brustfleisch von einem gebratenen Hähnchen
- 100g Kürbisfleisch, gewürfelt
- 100 g Süßkartoffel, gewürfelt
- 2 Esslöffel Erbsen
- 2 Esslöffel Zuckermais
- abgekühltes abgekochtes Wasser

Richtungen

A) Das Hähnchenfleisch fein hacken und beiseite stellen. Dämpfen Sie das Kürbis, Süßkartoffel, Erbsen und Mais. Hähnchen und Gemüse mit dem Handmixer pürieren. Mit dem abgekühlten kochenden Wasser das Püree auf die gewünschte Konsistenz verdünnen. Abkühlen lassen und servieren.

59. Truthahn- und Aprikosenburger

Macht. Ca. 300 g

Zutaten

- 50g Zwiebel, geviertelt und gehackt
- 1 Teelöffel Olivenöl
- 150 g gehackte Putenbrust
- 60 g frische Vollkorn-Semmelbrösel
- 2 gehackte Aprikosen
- 1/2 mittelgroßes Ei geschlagen
- 2 Esslöffel Sonnenblumenöl zum Braten

Richtungen

a) Die Zwiebeln im Olivenöl bei mittlerer Hitze anbraten, bis sie weich sind, dann abkühlen lassen, dann das Putenhackfleisch und die gekochten Zwiebeln in eine große Schüssel geben, die restlichen Zutaten dazugeben und mit einer Gabel gründlich vermischen.

b) Mit zwei Esslöffeln grob ein Fladen aus der Mischung formen und vorsichtig in eine heiße Bratpfanne geben, dabei leicht Druck ausüben, um den Burger flach zu machen.

c) Von jeder Seite gut gebräunt braten und vor dem Servieren 23 Minuten ruhen lassen.

60. Leckeres Hähnchen-Couscous

Portionen: 4

Zutaten

- 100g Couscous
- 20g Butter
- 50 g Lauch in Stücke schneiden und fein hacken
- 50 g Hähnchenbrust, ohne Haut und gewürfelt
- 25g Karotte, geschält und gewürfelt
- 200 ml salzfreie Hühnerbrühe

Richtungen

a) Butter in einer Pfanne schmelzen, dann Lauch dazugeben und weich machen. Als nächstes fügen Sie das Huhn hinzu und braten es, bis es gar ist.

b) Während das Huhn kocht, kochen Sie die Karotte, bis sie weich ist (ca. 10 Minuten). Gießen Sie kochendes Wasser über Ihren Brühwürfel, geben Sie ihn dann in eine Pfanne zum Couscous und lassen Sie ihn 3 bis 4 Minuten lang vom Herd. Mit einer Gabel auflockern und das Hähnchen und die Karotten dazugeben.

c) Für eine glattere Konsistenz pürieren Sie es mit Ihrem Handmixer.

61. Kinderfleischbällchen in Soße

Ergibt ca. 25-30 Fleischbällchen

Zutaten

Fleischbällc

hen:

- 250 g mageres gehacktes Schweinefleisch
- 50g Zwiebel, geviertelt und gehackt
- 60 g Champignons, fein gehackt
- 100g Semmelbrösel und 2 Eigelb
- 1 Esslöffel Pflanzenöl

Tomatensauce:

- 250 g frische Tomaten, gehäutet, entkernt und gehackt
- 150 ml Wasser oder Gemüsebrühe und eine halbe kleine Zwiebel, fein gehackt und 1 Esslöffel Tomatenpüree
- 1 Esslöffel fein gehackte frische Kräuter wie Basilikum, Petersilie oder Thymian

Richtungen

a) Backofen auf 180 °C vorheizen. Die Zutaten hacken, vermischen und die Mischung in etwa 25 Kugeln teilen, die während der Zubereitung der Soße im Kühlschrank aufbewahrt werden sollten. Für die Soße alle Zutaten in einen Topf geben, aufkochen und dann bei reduzierter Hitze etwa 20 Minuten köcheln lassen.

b) Nach dem Abkühlen in der Pfanne mit dem Handmixer pürieren. In einer geölten Pfanne etwa 10 Minuten braten

SUPPE

62. Hühnersuppe

Zutaten

- 1 Tasse gehackte Hähnchenbrust, ungekocht
- $\frac{1}{4}$ Tasse gehackte Zwiebel
- $\frac{1}{4}$ Tasse gehackte Karotte
- $\frac{1}{2}$ Tasse gehackte Zucchini
- 4 Tassen Wasser

Richtungen

a) Zutaten in einen Topf geben und zum Kochen bringen

b) Hitze reduzieren, abdecken und 3045 Minuten köcheln lassen, oder bis das Hähnchen durchgegart und die Karotten weich sind

c) Abkühlen lassen

d) In eine Küchenmaschine oder einen Mixer abseihen und pürieren, dabei Brühe hinzufügen, bis die gewünschte Konsistenz erreicht ist

63. Gemüserindfleischsuppe

Zutaten

- 1 Tasse gehacktes Rindfleisch
- 1 geschälte und gehackte Kartoffel
- $\frac{1}{2}$ Tasse gehackte Karotte
- $\frac{1}{4}$ Tasse gehackte Zwiebel
- 5 Tassen Wasser

Richtungen

a) Alle Zutaten in einen Topf geben und zum Kochen bringen
b) Hitze reduzieren, abdecken und 3045 Minuten köcheln lassen, bis das Rindfleisch gut gegart und das Gemüse weich ist
c) Abkühlen lassen
d) Fleisch und Gemüse in eine Küchenmaschine oder einen Mixer geben und pürieren, dabei Brühe hinzufügen, bis die gewünschte Konsistenz erreicht ist

64. Kürbissuppe

Zutaten

- 1 Tasse Kürbispüree
- 2 Tassen natriumarme Hühnerbrühe
- $\frac{1}{4}$ Teelöffel schwarzer Pfeffer
- $\frac{1}{4}$ Teelöffel Ingwer
- 1 Knoblauchzehe, gehackt

Richtungen

a) Zutaten in einen Topf geben und zum Kochen bringen
b) Hitze reduzieren, abdecken und 15 Minuten köcheln lassen, dabei häufig umrühren

65. Butternut-Kürbis-Suppe

Zutaten

- 1 Tasse gedämpftes Butternusskürbisfleisch
- $\frac{1}{4}$ Tasse gedämpfte Karotten
- 1/2 Tasse gefrorener Spinat
- $\frac{1}{2}$ Tasse gefrorene Erbsen
- 2 Tassen natriumarme Hühnerbrühe

Richtungen

a) Alle Zutaten in einem Topf zum Kochen bringen

b) Hitze sofort reduzieren

c) Abdecken und 1015 Minuten köcheln lassen, dabei gelegentlich umrühren

d) Abkühlen lassen

e) Den Inhalt des Topfes in eine Küchenmaschine oder einen Mixer geben und pürieren

66. Eiertropfensuppe

Zutaten
- 2 Tassen natriumarme Hühnerbrühe
- 2 Eigelb
- gewürfelter Blumenkohl

Richtungen
a) Hühnerbrühe, Blumenkohl und Gewürze in einem Topf
   zum Kochen bringen
b) Hitze reduzieren, abdecken und 1520 Minuten
   köcheln lassen, bis der Blumenkohl weich ist
c) Während es noch köchelt, das Eigelb mit einem Schneebesen
   einrühren
d) Weiter schlagen, bis das Eigelb fest ist
e) Abkühlen lassen
f) In eine Küchenmaschine geben und pürieren

67. Spargelsuppe

Portionen: 4

Zutaten

- 2 Esslöffel Olivenöl
- 1 mittelgroße Kartoffel, geschält und gewürfelt
- 500 ml salzfreie Gemüsebrühe
- 50g Zwiebel, geviertelt und
- 450g Spargel

Richtungen

a) Schneiden Sie den Spargel in Stücke und entfernen Sie alle fadenförmigen Teile und die harten Enden der Stangen.

b) Anschließend die Zwiebeln in einer Pfanne bei mittlerer Hitze im Olivenöl anschwitzen und dann die Kartoffeln, den Spargel und die Brühe hinzufügen.

c) Abdecken und 20 Minuten köcheln lassen. Zum Schluss die Suppe mit dem Handmixer in der Pfanne glatt pürieren und mit Toaststücken servieren.

68. Baby-Borschtsch (Rote-Bete-Suppe)

Portionen: 3-4

Zutaten

- 3 mittelgroße Rüben, gehackt
- 1 mittelgroße Kartoffel, gehackt
- 1 kleine Zwiebel, gehackt
- 450 ml salzarme Gemüsebrühe
- 50g Naturjoghurt

Richtungen

a) Das gesamte Gemüse schälen und in einen Topf mit Brühe geben.

b) Zum Kochen bringen, dann abdecken und 30 Minuten köcheln lassen, bis das Gemüse weich ist. Abkühlen lassen und dann in der Pfanne mit dem Handmixer pürieren, bis eine Püree-Konsistenz entsteht.

c) Den Naturjoghurt unterrühren und servieren.

69. Apfel-Süßkartoffel-Suppe

Portionen: 4

Zutaten

- 2 Teelöffel Butter
- 2 Teelöffel Mehl
- 180 ml salzarme Hühnerbrühe
- 2 Teelöffel gekochte Äpfel
- 200 g gekochte Süßkartoffeln
- 50 ml Milch

Richtungen

a) Die Butter in einer Pfanne schmelzen und das Mehl unterrühren. Erhitzen und rühren, bis die Mischung goldgelb wird. Fügen Sie die Brühe langsam und unter Rühren hinzu und fügen Sie dann den gekochten Apfel und die Süßkartoffel hinzu.

b) Zum Kochen bringen, dann die Hitze reduzieren und 5 Minuten leicht köcheln lassen.

c) Anschließend die Mischung in der Pfanne mit dem Handmixer pürieren, dann die Milch dazugeben, leicht erwärmen und servieren.

70. Wurzelgemüse- und Kichererbsensuppe

Portionen: 10

Zutaten

- 2 Esslöffel Öl
- 2 Zwiebeln, gehackt
- 2 Karotten, gehackt
- 2 Selleriestangen, gehackt
- 250 g Kichererbsen aus der Dose
- 2 x 400g Dosen gehackte Tomaten
- 1 Esslöffel Tomatenpüree
- 1 Teelöffel weicher brauner Zucker
- 600 ml Wasser
- 1 Blumenstrauß garni
- frisch gemahlener schwarzer Pfeffer

Richtungen

a) Das Öl in einer großen Pfanne erhitzen, die Zwiebeln dazugeben und anbraten, bis sie weich sind. Gemüse und Tomaten mit Saft unterrühren.

b) Die restlichen Zutaten hinzufügen und mit Pfeffer abschmecken. Zum Kochen bringen, abdecken und 40 Minuten köcheln lassen, bis das Gemüse weich ist. Etwas abkühlen lassen, das Bouquet garni entfernen und dann mit dem Handmixer in der Pfanne mixen.

c) Mit gebutterten Toastfingern oder Reiskuchen servieren.

71. Einfache Minestrone

Portionen: 6

Zutaten

- 50g Zwiebel, geviertelt und fein gehackt
- 120 g Karotte, in Stücke geschnitten
- 50 g Lauch, in Stücke geschnitten
- 2 mittelgroße Kartoffeln, geschält und gewürfelt
- 200g gehackte Tomaten
- 1000 ml ungesalzene Gemüsebrühe
- 2 Teelöffel Tomatenpüree
- 75 g gefrorene Petites Pois
- 50g Nudeln (vorzugsweise Formen)
- 2 Esslöffel geriebener Parmesankäse

Richtungen

a) Zwiebel, Karotten und Lauch anbraten und weich kochen (ca. 5 Minuten), dann die Kartoffel hinzufügen und weitere 2 Minuten kochen lassen.

b) Tomaten, Brühe und Tomatenpüree dazugeben, aufkochen und 1520 Minuten köcheln lassen. Als nächstes die Erbsen und Nudelformen hinzufügen und weitere 5 Minuten kochen lassen. Mit der Handmaschine pürieren.

c) Mit Käse garniert servieren.

PÜREE

72. Spinat-Kartoffel-Püree

Portionen: 6

Zutaten

- 1 Esslöffel Pflanzenöl
- 40g Lauch, in Stücke geschnitten und gehackt
- 1 Kartoffel, geschält und gewürfelt
- 175 ml Wasser
- 60 g frischer Babyspinat, gewaschen und von den Stielen befreit

Richtungen

a) Den Lauch in Pflanzenöl anbraten, bis er weich ist. Während der Lauch kocht, schneiden Sie die Kartoffel in Stücke und geben Sie sie dann zum eingeweichten Lauch.

b) Mit Wasser aufgießen, zum Kochen bringen, abdecken und 6 Minuten köcheln lassen.

c) Spinat hinzufügen und 3 Minuten kochen lassen. Lassen Sie die Mischung abkühlen und pürieren Sie sie dann mit dem Handmixer in der Pfanne.

73. Zucchini-Kartoffel-Püree

Portionen: 8

Zutaten

- $\frac{1}{2}$ kleiner Lauch, gehackt
- 15g Butter
- 250g Kartoffeln, geschält und gewürfelt
- 200 ml salzarme Hühner- oder Gemüsebrühe
- 1 mittelgroße Zucchini, gehackt

Richtungen

a) Den Lauch in Butter anbraten, bis er weich ist, dann die Kartoffelstücke hinzufügen und weitere drei Minuten kochen lassen. Mit Brühe bedecken, zum Kochen bringen und weitere 5 Minuten mit geschlossenem Deckel köcheln lassen.

b) Als nächstes die gehackte Zucchini dazugeben und 10 – 15 Minuten köcheln lassen, bis das gesamte Gemüse weich ist. Mit dem Handmixer in der Pfanne mixen.

74. Karotten-Kartoffel-Püree

Portionen: 4

Zutaten

- 2 mittelgroße Kartoffeln, geschält und gehackt
- 2 mittelgroße Karotten, geschält und gehackt
- 1 Teelöffel ungesalzene Butter

Richtungen

a) Die Karotten- und Kartoffelstücke 15 Minuten kochen, bis sie weich sind, dann abgießen, abkühlen lassen und gründlich pürieren.

b) Butter einrühren. Mit dem Handmixer zu einer strukturierten Konsistenz mixen.

75. Karotten-Pastinaken-Püree

Portionen: 6

Zutaten

- 200g Karotten, geschält und gewürfelt
- 200g Pastinaken, geschält und gewürfelt

Richtungen

a) Das Gemüse dämpfen, bis es weich ist.

b) Mit der Handmaschine pürieren und die Konsistenz mit abgekochtem, gekühltem Wasser oder normaler Babymilch anpassen.

76. Birnen-Süßkartoffel-Püree

Portionen: 4

Zutaten

- 1 mittelgroße Süßkartoffel, geschrubbt und halbiert
- 1 süße Birne, geschält, entkernt und in 8 Stücke geschnitten

Richtungen

a) Backen Sie die Süßkartoffel im vorgeheizten Ofen bei 180 °C 40 Minuten lang, bis sie weich ist.

b) Abkühlen lassen, Schale entfernen und wegwerfen. Die Birnenstücke 5 Minuten in einer Pfanne mit etwas kochendem Wasser pochieren.

c) Abtropfen lassen und abkühlen lassen. Die Kartoffel in Stücke schneiden und in der Pfanne mit dem Handmixer zu einer glatten Konsistenz pürieren.

d) Herausnehmen und beiseite stellen, dann den Vorgang mit der Birne wiederholen. Servieren Sie das Kartoffelpüree mit Birnenwirbeln darauf.

77. Schnelles Bananen-Pfirsich-Püree

Portionen: 4

Zutaten

- 1 kleine reife Banane
- 1 großer, sehr reifer Pfirsich, enthäutet und in Stücke geschnitten

Richtungen

a) Die Banane schälen und in kleine Stücke schneiden. Geben Sie die Banane und die Pfirsiche in den Becher und fügen Sie eine kleine Menge Wasser oder Pfirsichsaft hinzu.

b) Mit dem Handmixer glatt rühren.

78. Süßkartoffel-Avocado-Püree

Portionen: 8

Zutaten

- 200 g Süßkartoffel, gewürfelt
- $\frac{1}{2}$ reife Avocado
- Mutter- oder Säuglingsmilch zum Verdünnen
-

Richtungen

a) Die Süßkartoffeln dämpfen, bis sie weich sind, dann abkühlen lassen. Die Avocado zur Süßkartoffel geben und mit dem Handmixer glatt und cremig mixen.

b) Mit etwas Mutter- oder Säuglingsmilch auf die für Ihr Baby geeignete Konsistenz verdünnen.

79. Auberginenpüree

Portionen: 8

Zutaten

- 1 kleine Aubergine
- 1 Esslöffel Sonnenblumen- oder Olivenöl
- 1 Esslöffel Tomatenpüree

Richtungen

a) Auberginen im vorgeheizten Ofen bei 180 °C 50 Minuten backen, dann aus dem Ofen nehmen, abkühlen lassen, halbieren und das Fruchtfleisch herauslöffeln.

b) Geben Sie das Auberginenfleisch zusammen mit dem Öl und dem Tomatenpüree in den Becher und mixen Sie es mit dem Handmixer zu einer glatten Konsistenz.

80. Gurken-Kräuter-Püree

Portionen: 10

Zutaten

- ½ Gurke
- 200 g griechischer Vollmilchjoghurt
- eine Prise frisches Kraut Ihrer Wahl

Richtungen

a) Die Gurke schälen und der Länge nach halbieren, dann die Kerne herauskratzen und die Gurke fein hacken.

b) Drücken Sie die geriebene Gurke aus, um die Flüssigkeit zu entfernen, und mixen Sie sie dann mit dem Joghurt und den Kräutern mit Ihrem Handmixer.

81. Karotten-Apfel-Püree

Portionen: 10

Zutaten

- 1 große Karotte, geschält und gehackt
- 1 Kartoffel, geschält und gehackt
- 1 Apfel, geschält, entkernt und gehackt
- salzarme Gemüsebrühe oder Wasser

Richtungen

a) Die Karotten-, Kartoffel- und Apfelwürfel in einen Topf geben und mit Brühe oder Wasser bedecken.

b) Zum Kochen bringen und dann etwa 10 Minuten köcheln lassen, bis es weich ist. Abgießen und dann zu einer glatten Konsistenz mixen.

82. Karotten- und Aprikosenpüree

Portionen: 4-6

Zutaten

- 1 große Karotte, geschält und in Stücke geschnitten
- 4 Aprikosen, geschält (oder getrocknete Aprikosen verwenden)

Richtungen

a) Die Karotten in einen Topf mit kochendem Wasser geben, die Hitze reduzieren und 10 Minuten köcheln lassen, bis sie weich sind. Abtropfen lassen und gehackte Aprikosen in die Pfanne geben.

b) In der Pfanne mit dem Handmixer pürieren.

83. Wurzelgemüsepüree

Portionen: 10

Zutaten

- 1 mittelgroße Kartoffel, geschält und gehackt
- 1 mittelgroße Karotte, geschält und in Scheiben geschnitten
- 1 mittelgroße Pastinake, geschält und in Scheiben geschnitten
- salzarme Gemüsebrühe oder Wasser

Richtungen

a) Geben Sie das Gemüse in einen Topf und gießen Sie gerade so viel Brühe hinein, dass es bedeckt ist.

b) Köcheln lassen, bis das Gemüse weich ist (ca. 15 Minuten). Mit dem Handmixer pürieren.

84. Babynahrungspüree aus Cantaloupe-Melone und Mango

Portionen: 12

Zutaten

- 1 reife Mango, geschält, entkernt und gewürfelt
- 1 große Scheibe Cantaloupe-Melone, geschält und gehackt
- 1/2 reife Banane, geschält und gewürfelt

Richtungen

A) Ort Alle Zutaten in den Becher geben und mit dem Handmixer glatt rühren.

85. Karotten- und Mangopüree

Portionen: 5

Zutaten

- 1 mittelgroße Karotte, geschält und gehackt
- $\frac{1}{2}$ Mango, Haut entfernt und gehackt

Richtungen

a) Gehackte Karotten in einen Topf mit kochendem Wasser geben, Hitze reduzieren und 10 Minuten köcheln lassen, bis die Karotten weich sind.

b) Abgießen, abkühlen lassen, dann gehackte Mango in die Pfanne geben und mit dem Handmixer glatt pürieren.

86. Steckrüben- und Süßkartoffelpüree

Portionen: 10

Zutaten

- 250 g Kohlrüben, geschält und gehackt
- 250 g Süßkartoffel, geschält und gehackt

Richtungen

a) Die gehackten Rüben und Süßkartoffeln dazugeben und 1520 Minuten dämpfen.

b) Abkühlen lassen, etwas Wasser oder die normale Milch Ihres Babys hinzufügen

Anschließend mit der Handmaschine pürieren.

87. Süßkartoffel-, Spinat- und grünes Bohnenpüree

Portionen: 10

Zutaten

- 25 g ungesalzene Butter
- 50g Lauch, gut gewaschen und fein geschnitten
- 200g Süßkartoffel
- 50 g gefrorene grüne Bohnen
- 50 g frischer oder gefrorener Babyspinat (gewaschen, wenn frisch)

Richtungen

a) Butter in einer Pfanne schmelzen und den Lauch weich braten, dann die Süßkartoffel hinzufügen. 250 ml Wasser hinzufügen und zum Kochen bringen.

b) Als nächstes mit einem Pfannendeckel abdecken und 10 Minuten köcheln lassen, bis die Süßkartoffel weich ist. Den Spinat und die Bohnen hinzufügen, dann vom Herd nehmen und mit der Handmaschine glatt pürieren.

88. Weißer Fisch und Soßenpüree

Portionen: 10

Zutaten

- 20 g ungesalzene Butter
- 50g Zwiebel fein gehackt
- 1 mittelgroße Karotte, geschält und in Scheiben geschnitten
- 240 ml kochendes Wasser
- 100 g Weißfisch, gehäutet und filetiert – darauf achten, dass alle Gräten entfernt werden!
- 120 ml Milch
- 1 Lorbeerblatt

Richtungen

a) Zuerst die Zwiebel mit 20 g Butter in einen Topf geben und weich braten. Dann die Karotte dazugeben, mit Wasser bedecken und 10 – 15 Minuten köcheln lassen. Anschließend den Fisch mit Milch und Lorbeerblatt in eine Pfanne geben.

b) Etwa 5 Minuten köcheln lassen, bis der Fisch gar ist, dann das Lorbeerblatt entfernen, den Fisch zerkleinern und alle Zutaten (außer dem Lorbeerblatt) in einen Becher geben und mit dem Handmixer zu der für Ihr Baby gewünschten Konsistenz mixen.

89. Bananen- und Avocadopüree

Portionen: 6-8

Zutaten

- 1 reife Banane, geschält
- 1 reife Avocado, entkernt und geschält
- 1 Teelöffel Vollmilchjoghurt oder Crème Fraiche

Richtungen

a) Zerstampfen Sie die Banane und die Avocado in einer Schüssel grob, geben Sie dann einen Löffel Joghurt oder Crème fraiche hinzu und mixen Sie alles mit dem Handmixer zu einer glatten Konsistenz.

b) Bei jüngeren Babys können Sie die Crème Fraiche zum Verdünnen durch Muttermilch oder Milchnahrung ersetzen.

90. Mango- und Blaubeerpüree

Portionen: 4

Zutaten

- 30g Blaubeeren
- $\frac{1}{2}$ kleine reife Mango

Richtungen

a) Mango schälen und das Fruchtfleisch hacken.

b) Zusammen mit den Blaubeeren in den Becher geben und mit dem Handmixer zu einer glatten Konsistenz verrühren.

91. Süßkartoffel- und Melonenbrei

Portionen: 10

Zutaten

- 200 g gekochte Süßkartoffel, gewürfelt
- 200 g Cantaloupe-Melone, gewürfelt
- 50g Naturjoghurt

Richtungen

a) Melone und gekochte Süßkartoffel in einen Becher geben und mit dem Handmixer zu einer glatten Konsistenz mixen.

b) Den Joghurt dazugeben und weitere 10 – 20 Sekunden mixen. Kühl stellen und dann kühl servieren.

92. Cremiges Butternusskürbispüree

Portionen: 2-3

Zutaten
- 200 g Butternusskürbis, gehackt
- 1 Esslöffel Vollfett-Naturjoghurt

Richtungen
A) Dampf Den gehackten Butternusskürbis 15 Minuten lang zerkleinern, dann abkühlen lassen und alle Zutaten zusammen in einen Becher geben und mit der Handmaschine zu einer Püree-Konsistenz pürieren.

93. Blumenkohl- und Süßkartoffelpüree

Portionen: 4

Zutaten

- 1 kleine Süßkartoffel, geschält und gehackt
- 3 oder 4 große Blumenkohlröschen, gehackt
- Mutter- oder Säuglingsmilch zum Verdünnen

Richtungen

a) Dämpfen Sie die Kartoffeln und den Blumenkohl, bis sie weich sind (10 – 15 Minuten), geben Sie sie dann in Ihren Becher, fügen Sie den Käse hinzu und mixen Sie alles mit dem Handmixer zu einer glatten Konsistenz.

b) Mit etwas Muttermilch oder Milchnahrung verdünnen, bis die für Ihr Baby geeignete Konsistenz erreicht ist.

94. Übrig gebliebenes Puten- und Kartoffelpüree

Portionen: 4

Zutaten

- 100 g übrig gebliebener Truthahn, gekocht und fein gewürfelt
- 200 g übrig gebliebene gekochte Kartoffeln
- Wasser zur Verarbeitung

Richtungen

a) Geben Sie jeweils die Hälfte des Truthahns und der Kartoffel in den Becher und fügen Sie nach Bedarf Wasser hinzu.

b) Mit der Handmaschine verarbeiten, bis ein feines Püree entsteht.

c) Wiederholen Sie diesen Vorgang für den Rest des Truthahns und der Kartoffel.

95. Kabeljau- und Reispüree

Portionen: 3-4

Zutaten

- 50g Reis
- 100 ml Wasser
- 40 g Kabeljaufilet, gehäutet und entgrätet
- ein paar Zweige Petersilie

Richtungen

a) Reis und Wasser in einen Topf geben, einmal umrühren und 10 Minuten köcheln lassen.

b) Den Fisch hinzufügen und weitere 10 Minuten kochen lassen, bei Bedarf zusätzliches Wasser hinzufügen. Zum Schluss die Petersilie hinzufügen und 2 Minuten kochen lassen.

c) Mit dem Handmixer in der Pfanne mixen.

96. Rotes Linsenpüree

Portionen: 3-4

Zutaten

- 125g rote Linsen
- 25 g Zwiebel, gehackt
- 1 Esslöffel Öl
- 25g Karotte, fein gehackt
- 500 ml Wasser

Richtungen

a) Linsen gründlich waschen und abtropfen lassen. Über Nacht einweichen (falls die Anweisungen auf der Packung dies erfordern). Die Zwiebel in Öl 4-6 Minuten anbraten, bis sie weich ist. Die Karotte hinzufügen und weitere 4-5 Minuten kochen lassen.

b) Die abgetropften Linsen und das Wasser hinzufügen. Zum Kochen bringen und dann 45 Minuten köcheln lassen, bis die Linsen weich sind. Abfluss

c) Die Mischung vermengen und in der Pfanne mit dem Handmixer pürieren.

d) Aus diesem Gericht lässt sich ein würziger Dhal zu Currys zubereiten. Teilen Sie dazu die gekochte Linsenmischung in zwei Hälften, bewahren Sie eine Portion als Püree für Ihr Baby auf und geben Sie die andere mit etwas sautiertem Currypulver oder Currypaste in eine Pfanne, rühren Sie um und servieren Sie sie.

97. Grüne Erbse mit Minzpüree

Portionen: 3-4

Zutaten

- 200g frische oder gefrorene Erbsen
- 150 ml Wasser
- Eine Handvoll frische Minze

Richtungen

a) Die Erbsen in einen Topf mit dem Wasser geben. Aufkochen und köcheln lassen.

b) Fügen Sie eine kleine Menge frische Minze hinzu und prüfen Sie nach dem Garen, ob die Mischung zart ist, und mixen Sie sie mit dem Handmixer bis zur gewünschten Konsistenz. Fügen Sie bei Bedarf Vollmilch-Kuhmilch hinzu.

98. Süßer und weißer Kartoffelbrei

Portionen: 6

Zutaten

- 200g Kartoffeln, geschält und gewürfelt
- 200 g Süßkartoffel, geschält und gewürfelt
- 25g Butter
- 50 ml Milch (Kuhmilch, Muttermilch oder Milchnahrung, je nachdem).
  in der Fütterungsphase)
- 30g geriebener Käse

Richtungen

a) Geben Sie die Kartoffeln und Süßkartoffeln in einen Topf mit kochendem Wasser, reduzieren Sie die Hitze und lassen Sie sie 1520 Minuten lang köcheln, bis sie weich sind.

b) Abgießen, dann Butter, Milch und Käse hinzufügen und mit dem Handmixer zu einer dickflüssigen Konsistenz mixen.

99. Kürbis- und Birnenbrei

Portionen: 6

Zutaten

- 200 g gekochter Butternusskürbis
- 100 g getrocknete Aprikosen (30 Minuten in Wasser eingeweicht)
- 75g Rosinen (30 Minuten in Apfelsaft eingeweicht)
- 1 sehr reife Birne, geschält, entkernt und gehackt

Richtungen

A) Alle Zutaten mit dem Handmixer pürieren strukturierte Konsistenz.

100. „Popeye"-Püree

Portionen: 6-8

Zutaten

- 125g Süßkartoffeln, geschält und klein gewürfelt
- 125 g zarte Karotten, gehackt
- 125 g grüne Bohnen, ohne Spitzen
- 125g Spinat
- 125g gefrorene Erbsen

Richtungen

a) Süßkartoffeln und Karotten in einen Dampfgarer geben und 8 Minuten dämpfen. Die restlichen Zutaten hinzufügen und weitere 6 Minuten erhitzen.

b) Aus dem Dampfgarer nehmen und mit dem Handmixer zu einer groben Konsistenz pürieren. Gekühlt servieren.

FAZIT

Wenn Babys älter werden, benötigen sie feste Nahrung, um genügend Nährstoffe für Wachstum und Entwicklung zu erhalten. Zu diesen essentiellen Nährstoffen gehören Eisen, Zink und andere.

In den ersten sechs Lebensmonaten nutzen Babys das Eisen, das sie bereits im Mutterleib in ihrem Körper gespeichert haben. Außerdem erhalten sie etwas Eisen über die Muttermilch und/oder Säuglingsnahrung. Aber die Eisenvorräte von Babys nehmen mit zunehmendem Wachstum ab. Mit etwa 6 Monaten müssen Babys feste Nahrung zu sich nehmen.

Die Einführung fester Nahrung ist auch wichtig, um Babys beim Erlernen des Essens zu helfen und ihnen die Erfahrung neuer Geschmacksrichtungen und Texturen verschiedener Lebensmittel zu ermöglichen. Es entwickelt ihre Zähne und Kiefer und baut andere Fähigkeiten auf, die sie später für die Sprachentwicklung benötigen.

Milton Keynes UK
Ingram Content Group UK Ltd.
UKHW020732161023
430697UK00016B/772